W9-CSJ-567

El niño
que buscaba

a ayer   *Claribel Alegría*

Ilustraciones de: *Ricardo Radosh*

D.R. © CIDCLI, S.C.

 Av. México 145-601, Col. del Carmen
Coyoacán, C.P. 04100, México, D.F.

D.R. © Claribel Alegría

Primera edición, noviembre 1995
Segunda edición, diciembre 1996
ISBN 968-494-072-6

Diseño gráfico: Rogelio Rangel
Reproducción fotográfica: Rafael Miranda

Impreso en México / Printed in Mexico

El niño que buscaba a ayer

Claribel Alegría

Nació en Estelí, Nicaragua, en 1924, pero se considera a sí misma como salvadoreña por el tiempo que ha vivido en ese país. Estudió filosofía y letras en la universidad y se ha dedicado a escribir literatura. Aunque básicamente ha escrito poesía y novelas cortas para adultos, también ha publicado un libro para niños.

El niño que buscaba a ayer, *es un cuento que al mismo tiempo que plantea la inquietud infantil de querer recuperar el tiempo ya vivido, le ofrece al niño una solución a ese conflicto.*

Este cuento fue escrito especialmente para la colección EnCuento.

Era una mañana de agosto. Cristóbal se despertó temprano. El alba estaba recién nacida y miraba al mundo con asombro.

Qué día más feliz fue ayer para mí, pensó Cristóbal mientras se estiraba entre las sábanas. Cuántas cosas vi en el circo: trapecistas vestidos de colores, bailarines, payasos, una pantera, tropeles de elefantes y perros que hacían pruebas.

Hoy el circo se habrá ido. Cómo quisiera que hoy fuera ayer otra vez. Tal vez, pensó, pueda encontrarlo. Todavía es temprano y no debe de andar muy lejos. Seguro que el río lo vio pasar. Él puede ver tantas cosas, es tan largo.

Se vistió de prisa. Metió dos mangos y una tortilla en sus bolsillos y se fue corriendo hacia el río.

El Lempa es un río oloroso y joven. Un río elástico que salta entre las piedras. Lleva entre sus aguas peces y plantas raras. Le gusta reflejar el cielo, sobre todo cuando el cielo está lleno de nubes blancas.

Viene desde muy lejos el Lempa. Arranca en Guatemala y se va estirando hasta tocar Honduras. Recoge en el camino a otros ríos y juntos todos se pierden en el mar.

Cristóbal llegó hasta él.

—¿Has visto pasar a ayer?— le preguntó.

Sí —dijo el río—, hace unas horas pasó.

—¿En qué dirección iba? Yo lo quiero encontrar.

Con un ademán húmedo el río señaló hacia el oeste.

Caminó y caminó Cristóbal hasta llegar a una llanura donde se levantaba un cedro. Era un cedro alto, de tronco grueso y ramas horizontales. Cristóbal se acercó a descansar bajo su sombra.

¿Has visto pasar a ayer?

El árbol se quedó un momento pensativo. Luego sacudió todas sus hojas, como revolviendo pensamientos y dijo:

—No recuerdo haberlo visto. ¿Andas tú en su busca?

Sí —dijo Cristóbal—, lo quiero encontrar.

El cedro estiró sus ramas y en un tono pausado siguió hablando.

—Tal vez esté en el bosque, ¿por qué quieres encontrarlo? Mira qué hermoso día hace hoy.

Las hojas del cedro danzaron a coro y Cristóbal se sintió sacudido por un escalofrío de gozo. Por un momento quiso quedarse, pero después pensó que había salido a buscar a ayer y lo tenía que encontrar.

Se despidió del cedro y siguió corriendo hacia el oeste. De pronto se detuvo. El camino era ancho. Estaba cubierto de polvo asoleado y se alargaba hasta llegar al bosque.

Cristóbal le preguntó si había visto a ayer.

—Todos los ayeres pasan por aquí—, respondió el camino.

—Quiero encontrar a ayer —dijo el niño impaciente—, ¿crees que está en el bosque?

—No podría decirte— dijo el camino dando un lánguido bostezo. ¿Por qué quieres encontrarlo? Todos los ayeres pasan con la misma expresión de fatiga en sus rostros, en cambio hoy es hermoso, cargado de ilusiones. Qué pena me da cuando vuelve a pasar ya hecho ayer.

Cristóbal se quedó pensativo.

—Ayer fue un día hermoso—, se dijo, como queriendo renovar su esperanza.

Corrió con fuerza. Se detuvo un momento recordando las palabras del camino y siguió adelante, hacia el bosque.

Era ya mediodía cuando llegó. El sol estaba en el cenit[1] y un vaho ardoroso se desprendía de la tierra. Los árboles parecían sumidos en un sopor profundo.

Cristóbal se quedó mirando como queriendo orientarse. Jadeante de cansancio se acostó sobre la hierba que lo recibió amorosa. Así estuvo un largo rato.

Sacó de sus bolsillos los mangos y la tortilla que había llevado consigo y se puso a comerlos ávidamente.

Un arroyuelo que pasaba cerca lo invitó, cantando, a que fuera a beber de sus aguas.

Cristóbal corrió hacia él y en el hueco de sus manos bebió hasta quitarse la sed.

Sobre la rama de un árbol vio de pronto un zenzontle[2].

Este zenzontle seguro que ha visto a ayer, pensó Cristóbal e incorporándose de un salto se acercó hasta él.

¿Has visto a ayer en el bosque? —preguntó—, ando en su busca.

El pájaro comenzó a cantar. Cristóbal lo escuchó maravillado y antes de que pudiera hablar, el pájaro dijo:

[1] Cenit: punto imaginario que se sitúa en algún lugar del cielo en línea vertical sobre nuestra cabeza.
[2] Zenzontle: ave tropical que se distingue por la belleza de su canto.

—Dejé muy lejos a ayer—. Y en la ronda del viento se alejó.

Cristóbal se quedó sorprendido, sin moverse.

Un escándalo de abejas lo vino a sacar de su estupor.

Las abejas trabajan con afán.

—¿Han visto a ayer?— les preguntó el niño. Ninguna contestó.

Al fin una dijo: —Nunca hemos visto ayeres ni mañanas. Para nosotras sólo existe el presente.

—¿Cómo es eso? —se asombró Cristóbal—, todo el mundo ha visto ayeres y mañanas.

—Para nosotras no hay diferencia— prosiguió la abeja—, nuestro trabajo es siempre el mismo.

Qué extraño, pensó Cristóbal y se quedó mirando cómo cada abeja construía su celda con cera olorosa y dejaba en ella la miel rubia de las flores.

Súbitamente un relámpago, como una espada luminosa, abrió el aire en dos.

Cristóbal sintió miedo. Una enorme nube gris levantaba en el cielo su cabeza y él corrió a refugiarse debajo del árbol más sombrío que encontró cerca.

Era un amate de ramas extendidas que invitaba a descansar. El viento se alborotó. Hacía danzar con furia a las hojas de los árboles que se volteaban para no verlo.

Empezaron a caer gotas gruesas. Poco después grandes chorros de agua se desprendían de las nubes y refrescaban la tierra.

—Qué linda es la lluvia —dijo en voz alta Cristóbal—, dan ganas de brincar.

Llovió por largo rato. Ya parecía que nunca iba a escampar. Cristóbal reía al sentir cómo el agua le resbalaba por la espalda.

Cuando por fin el cielo se despejó, todo el bosque se veía brillante. Cristóbal sintió que una ola de gozo le apretaba la garganta. La hierba tenía un aroma nuevo, un olor a frescura que daban ganas de saborear.

De seguro esta flor nació hace un momento —dijo, acercándose a una flor de izote[3] que no había visto antes.

—¿Has visto a ayer en el bosque? —dijo.

La flor no contestó.

Cristóbal volvió a repetir su pregunta.

—No conozco a ayer —dijo por fin—, las manos del agua me acaban de abrir.

Cristóbal se quedó maravillado. Le parecía que nunca había visto una flor. Buscando a ayer se le habían abierto más los ojos.

Siguió corriendo por el bosque. El cielo lo miraba complacido y le salía al encuentro en los charcos que había dejado la lluvia.

[3] Izote: árbol con ramas en forma de abanico y flores muy blancas y olorosas que suelen comerse.

Al cruzar un arroyo, vio Cristóbal una tortuga cubierta de musgo que caminaba llena de una calma de siglos. Se acercó despacito, ceñido de respeto. La tortuga al verlo escondió la cabeza.

—No tengas miedo —dijo Cristóbal—, sólo he venido a preguntarte si   has visto a ayer.

—Olvídate de ayer y acepta la belleza de hoy.

Cristóbal miró a su alrededor. Las copas de los árboles parecían recién peinadas y los pies del viento se adivinaban huyendo entre la hierba.

—Quiero encontrar a ayer —dijo impaciente.

—Cipote[4] tonto —estiró más el cuello la tortuga—, ¿por qué ese afán de encontrar a ayer cuando hoy es más hermoso?

Sin decir más, Cristóbal siguió corriendo. Ya no sabía si quería encontrar a ayer o apresar a hoy entre sus brazos.

—Tal vez esta mosca sepa—. dijo en tono de burla fijando la mirada en una mosca que estaba prendida al tronco limpio de un árbol.

—¿Has visto a ayer? —preguntó.

La mosca batió sus alas y mirándolo desde las mil facetas de sus ojos dijo:

—Soy la mosca que sólo vive un día. Hace unas horas nací y ya estoy al final de mi vida.

[4] Cipote: niño.

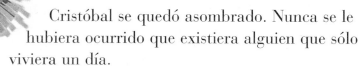

Cristóbal se quedó asombrado. Nunca se le hubiera ocurrido que existiera alguien que sólo viviera un día.

¿Cómo es ayer? —dijo la mosca.

Muy bello. Lleno de colores y tropeles de elefantes, pero hoy es más bello aún. Ayer en el circo no pude hablar con los animales y hoy me he hecho amigo tuyo y del zenzontle y de la tortuga y de las abejas. Me siento tan feliz o más que ayer.

Se hacía tarde y Cristóbal no quería que lo sorprendiera la noche en el bosque. Regresó despacio. Volvió a ver a la tortuga y a la blanca flor de izote. Las abejas ya se habían retirado y las sombras se alargaban en el aire.

Cristóbal se recostó sobre la hierba húmeda. Un incendio de luciérnagas iluminaba el camino. Una de ellas se acercó al niño. Revoloteaba a su alrededor y le alumbraba el rostro.

—¿Qué hacías en el bosque? —dijo apagando y encendiendo su luz verde.

—Andaba en busca de ayer, pero no pude encontrarlo.

—¿Quieres que yo te ayude? —dijo la luciérnaga—, seré una lámpara en tus manos.

—No —dijo Cristóbal—, ya no me importa.

Los árboles cabeceaban de sueño y las aves dormían.

El cielo empezó a poblarse de estrellas. Cristóbal se sintió aturdido por la infinitud que se abría ante sus ojos. Salí a buscar a ayer y encontré a hoy que es mucho más hermoso, pensó. No quisiera dejarlo escapar.

—Corre y alcánzalo —dijo una voz que se le abrió por dentro.

Corrió y corrió Cristóbal.

—Corre más —insistió la voz—, no lo dejes escapar.

Cristóbal siguió corriendo. Parecía un temblor de sueño bajo las estrellas blancas.

—¡Corre! —gritaba la voz cada vez más fuerte—, corre que se te escapa.

La noche lo miraba sin parpadear. Una dulzura infinita envolvió a Cristóbal.

Cuando vino el alba, lo encontró dormido, apresando a hoy entre sus brazos.

El niño que buscaba a ayer se terminó de imprimir
en el mes de diciembre de 1996, en los talleres de
X Pert Press S.A. de C.V., Oaxaca Nº. 1, San Jerónimo Aculco,
10700 México, D.F. Tel: 652 5581 Fax: 652 5211
El tiraje fue de 3 000 ejemplares y el cuidado de la edición
estuvo a cargo de Rocío Miranda.